EDUCACIÓN | Niños de 3 a 7 | EMOCIONAL

¡Mamá, siempre me está molestando!

Cómo tratar los celos y las peleas entre hermanos

Heike Baum

Título original: *Mama, der ärgert mich immer!*
Publicado en alemán por Kösel-Verlag GmbH & Co., München

Traducción de J. A. Bravo

Diseño de cubierta: Valerio Viano

Fotografía de cubierta: Reik/Stock Photos

Ilustraciones del interior: Stefanie Scharnberg

Distribución exclusiva:
Ediciones Paidós Ibérica, S.A.
Mariano Cubí 92 - 08021 Barcelona - España
Editorial Paidós, S.A.I.C.F.
Defensa 599 - 1065 Buenos Aires - Argentina
Editorial Paidós Mexicana, S.A.
Rubén Darío 118, col. Moderna - 03510 México D.F. - México

Muntaner 261, 3.º 2.ª - 08021 Barcelona - España
(oniro@edicionesoniro.com - www.edicionesoniro.com)

ISBN: 84-9754-100-6
Depósito legal: B-44.888-2003

Impreso en Hurope, S.L.
Lima, 3 bis - 08030 Barcelona

Impreso en España - *Printed in Spain*

Índice

Prólogo

Queridas lectoras y lectores:

«¡Siempre os estáis pegando!»
«¿No podríais llevaros bien aunque sólo fuese durante media hora?»

Estas y otras frases parecidas, las habréis oído a menudo, sin duda. Las peleas entre hermanos llevan a los padres al borde de la desesperación. La mayoría de las veces no sirve de gran cosa el tratar de poner paz. Los niños protestan a voces:

—¡Siempre me la cargo yo!
—¡Ella empezó!
—¡Siempre le das la razón a él!

Hay lágrimas y caras ofendidas. A veces, de súbito, los hermanos hacen coalición y se ponen en contra de los padres.

A los adultos, evidentemente, nos gustaría que nuestros hijos creciesen juntos en buena paz y armonía. Que se ayudasen mutuamente. Que salieran al mundo persuadidos de poder contar siempre con alguien. Qué espectáculo tan hermoso, cuando vemos a unos hermanos que juegan tumbados en el suelo, diferentes y sin embargo complementarios. En estos momentos nos conmueve la naturalidad con que se comprenden y la confianza mutua, que no volverán a darse nunca más, en ninguna otra relación que tengan en sus vidas, al menos de esa manera tan incondicional.

Pero, ¿por qué son tan intensos, entre hermanos, los celos, las rivalidades, la necesidad de afirmar la propia identidad? ¿Cuándo y cómo es conveniente intervenir? ¿Qué tienen que ver las peleas entre hermanos con la capacidad para imponerse, la necesidad emocional de marcar diferencias, la búsqueda de la propia individualidad? ¿Cuáles son los diferentes factores que afectan a la relación entre hermanos? ¿Qué efectos originan la posición de cada uno en la constelación familiar, las diferencias de sexos, las diferencias de edades? ¿Cómo repercute la llegada de un nuevo hermano? De todo esto trataremos en el próximo capítulo.

En la parte práctica encontraréis juegos y actividades que pueden ayudar a distender los procesos dinámicos subyacentes de las trifulcas y los celos, así como ideas para pacificar las riñas, preparar la venida de un nuevo hermano y enseñarles a comprenderse mejor.

Pero, ¡atención!, que no tiene mucho sentido el proponer a los pequeños unos juegos o unas actividades, y luego dejarlos a solas con eso. Si deseamos fomentar una convivencia mejor, ha de intervenir la familia como un todo, ya que ella es un sistema en el que todos dependen los unos de los otros. Por tanto, las formas del trato dependen de todos los integrantes. Y especialmente los padres son los modelos en quienes los niños miran modos y maneras de conducirse en caso de conflicto. La convivencia entre hermanos ofrece la posibilidad de ensayar el funcionamiento de unas relaciones tan íntimas, con todos sus altibajos.

Deseando disfrutéis ese recorrido de descubrimiento de pautas comunes en la relación con vuestros hijos,

Heike Baum

De ángeles inocentes y demonios peludos

Las relaciones entre hermanos desde la perspectiva de la psicodinámica familiar

En la vida humana, las relaciones entre hermanos revisten un carácter único. A nuestros padres y hermanos no podemos escogerlos, y en la medida en que los niños dependen del sustento de sus progenitores, aquéllos no tienen elección, ni más remedio que tratar de avenirse mejor o peor con sus hermanos.

Más adelante podrán emprender caminos separados. No obstante, algunos psicólogos y pedagogos, como por ejemplo Hartmut Kasten, postulan que en la relación entre hermanos puede interrumpirse el contacto, pero nunca el vínculo mismo. Él y muchos de sus seguidores y seguidoras consideran que la convivencia de los hermanos durante los años infantiles funciona como una impronta permanente. Desde el punto de vista emocional, es una relación para toda la vida.

Con frecuencia se habla de «lazos de sangre», pero yo también creo que es la gran cercanía física y emocional durante unos años de la vida que son cruciales, en los hermanos que conviven juntos, lo que explica la excepcional solidez del vínculo afectivo. En esta cotidianeidad vivida conjuntamente, los afanes de autonomía no son menos importantes que las dependencias, y los lazos del odio son tan fuertes como los del cariño. De modo que la intensidad de la relación no se mide por lo bien o lo mal que se llevasen los hermanos cuando eran niños, sino por el poco o mucho papel que cada uno ocupase en la vida emocional del otro.

Para una gran proximidad emocional, hay que reservar la posibilidad de un distanciamiento

Los hermanos, habitualmente, se crían en espacios limitados. Y no me refiero sólo a la estrechez de la vivienda o de la habitación. Otros factores son la igualdad de apellidos, las demandas que se plantean a los padres y que no siempre pueden satisfacerse en la medida deseable, o (pongamos por caso) la existencia de un solo televisor en el hogar, que obliga a negociar y ponerse de acuerdo para la elección de los programas. Esto crea proximidad, por una parte, ya que se desarrolla un sentimiento de mutua responsabilidad y dependencia; pero por otra parte, el desarrollo de los pequeños también requiere una delimitación clara, un margen asegurado para la conquista de su autonomía y autodeterminación.

De los hermanos, al comienzo de la vida el segundo suele pasar mucho más tiempo con la madre o la persona de referencia, pero esa cercanía decae muy rápidamente una vez cumplido el primer año. Más adelante, es habitual que los hermanos pasen mucho más tiempo juntos que en compañía de sus padres. De ahí el peso que se debe atribuir a esa influencia por lo tocante a la relación de tensión entre proximidad y distanciamiento.

Muchos factores influyen sobre la relación entre hermanos

Los hermanos tienen un 50 por ciento de genes idénticos. Esta cifra es un promedio. En algunos casos la coincidencia genética puede ser muy superior o muy inferior.

Es corriente subrayar las diferencias que se observan entre hermanos, pero no todas se deben a discrepancias en la dotación genética. El contexto social desempeña también un papel importante y explica los casos en que los hermanos evolucionan diferenciándose cada vez más conforme pasan los años. Cuantos más rasgos diferenciales reconozcan los progenitores y demás personas de referencia a los hermanos, mayores las posibilidades de que cada niño de esa familia desarrolle su personalidad propia y peculiar, desde las pautas de comportamiento hasta las áreas de interés y afición.

El destronamiento del primogénito

La coyuntura en que el hijo único pasa a convertirse en hermano mayor es una etapa importante y muchas veces conflictiva en la existencia del pequeño individuo. Resulta que, de repente, hay que compartir el cariño y las atenciones de los padres, y comportarse como «mayorcito» y mostrarse razonable y comprensivo con el recién llegado. Como consecuencia de todo esto, al primogénito de una familia le resultará tanto más traumático su «destronamiento» cuando los padres se sienten desbordados por la llegada del segundo hijo, faltándoles fuerzas y capacidad afectiva para dos, con lo que el niño o la niña nacidos con anterioridad sufren cierto grado de abandono, en relación directa con la aparición del segundogénito. En cambio, si las personas de referencia consiguen preservar la continuidad del cariño, la dedicación común y la confianza en su presencia, el agravio infligido por el hecho de no ser ya el único objeto del amor de sus progenitores quedará contenido dentro de unos límites razonables. Otro apoyo importante durante ese período pueden ser las personas de referencia que, sin ser parientes directos, le mantengan al primogénito la consideración especial y sigan prestándole plena atención en las ocupaciones que emprenda.

Se ha demostrado en estudios que después del nacimiento del segundo hijo, los progenitores a menudo descuidan el contacto corporal con el primogénito. En cambio, se intensifica la comunicación verbal, siendo éste un factor determinante del desarrollo intelectual más rápido del primogénito, que es una observación estadísticamente comprobada. Se ha de tener en cuenta, no obstante, que las madres tienden a explicar más las cosas a los primogénitos varones, en comparación con las hijas, y sobre todo en todo aquello que guarda relación con los hermanos pequeños. Por lo que parece, las madres atribuyen mayor sentido de responsabilidad a las hijas que a los hijos. En lo que posiblemente no hacen más que repetir las experiencias que en su día tuvieron ellas mismas con sus madres.

Estos ejemplos demuestran que son muchos y muy diferentes los factores que actúan sobre la relación fraterna. Aunque van a ser analizados por separado en lo que sigue, eso no es, naturalmente, sino un desglose artificial, al objeto de poder analizar lo que se nos presenta como un todo indivisible en la realidad.

la familia

constelación familiar ocupe un niño, siempre tendrá que los inconvenientes de ese lugar, teniendo en cuenta que lo despreocupado y exento de «problemas».

ijo, ante todo el primogénito se ve confrontado con su de la edad que tenga en ese momento, dichos procesos es, preconscientes o conscientes. En primer lugar, la s preguntas del tipo: ¿Para qué habrán querido tener o no estaban contentos con el que tenían? ¿Es que él rece el temor a que la nueva hermana o el nuevo her- así lo parece, ¿no? Mamá se ha marchado a una clí- también papá desapareció para asistir a ese acon- r ahora lo más importante del mundo.

especial importancia que se le permita visitar con frecuencia a la a fin de seguir en relación con ella y empezar a tenerla con el nuevo ser. Durante las primeras semanas de la vida, los progenitores tienen la responsabilidad de crear una relación entre ambos, de ofrecerles la posibilidad de que se conozcan un poco. El primogénito siempre sentirá celos y hostilidad contra el bebé, aunque no lo manifieste. Son sentimientos normales y no pasa nada, si los padres procuran dar a entender que además son sentimientos permitidos. De paso los niños tal vez aprenderán a poner en marcha esa función tan importante que es la fantasía... aunque no sea necesario llevarlas a la realidad directamente, por ejemplo devolver el bebé a la clínica.

Por ejemplo, cuando la madre contesta en serio a una idea semejante de su hijo «mayor»: «No puedo devolver a Ester porque la quiero tanto como te quiero a ti, y a ti nunca te dejaría en manos de nadie», le está ayudando de dos maneras. En primer lugar, se le dice que se le quiere, que no se le va a dejar nunca. Segundo, la madre se abstiene de devaluar la sugerencia del niño contraponiéndole una presión moral. Si hubiese dicho «eso no debes ni pensarlo», estaría transmitiéndole el mensaje de que hay algo «malo» en sus sentimientos y sus ocurrencias. Y si antes le preocupaba el temor a perder el cariño, con esas palabras dicho temor saldrá reforzado.

Después de los primeros meses de convivencia con el recién nacido, el primogénito habrá comprobado, por lo general, que no pierde el amor de sus progenitores y que la relación soporta incluso algún instante de conflicto. De ser así, los hermanos tienen buenas posibilidades de establecer un contacto intenso y respetuoso el uno con el otro.

Celos del bebé

Con todo, nunca se conseguirán evitar por completo los conflictos y la agresividad. Por muchos esfuerzos que se hagan, alguna que otra vez el primogénito va a sentirse postergado. Como le pasó a Marcos, que tenía dos años y medio cuando nació su hermanita María. Hasta entonces su madre le dedicaba mucho tiempo y él no estaba acostumbrado a tener que esperar cuando se le antojaba alguna cosa, como suele suceder con los de esas edades. Eso ha cambiado ahora. Mamá está sentada y le da el pecho a María. Marcos anuncia que necesita hacer caca, lo que antes siempre suscitaba mucho revuelo. Pero ahora mamá continúa sentada y le dice que intente sentarse solo en el orinalito, o que excepcionalmente se lo haga en los pañales. Entonces Marcos monta en cólera y le da un mamporro en la cabeza a María. El tener que compartir dedicación y atenciones con el recién llegado o la recién llegada es un agravio para el primogénito. Esto los padres no pueden impedirlo, aunque sí darle a entender que comprenden su irritación. Pero evitando que descargue contra la hermana pequeña como sucedió en el ejemplo.

Otra posible reacción de los primogénitos, ésta bastante más frecuente, es la llamada regresión (el niño recae en una fase más primitiva de su comportamiento). Por ejemplo, ahora Marcos pide el biberón y algunas veces incluso mamar del pecho. La reacción de los progenitores debe ser comprensiva cuando, súbitamente, el «mayor» anuncia deseos de volver a ser pequeño, y reclama el chupete o vuelve a ensuciar los pañales. ¿Qué mensaje transmiten estos comportamientos? Marcos está viendo que la pequeña María es objeto de gran atención y que mamá la dedica la mayor parte de su tiempo. Por lo que decide volver a comportarse como un bebé, y así no perderá el cariño de sus progenitores. En vez de reñirle o tratar de hacerle entender lo que es evidente, hay que comprender sus preocupaciones y tratar de demostrarle más dedicación. Cuando el hermano mayor comprenda que van a quererle lo mismo si se alimenta con el biberón que cuando come solo, los episodios regresivos desaparecerán rápidamente.

Aunque sea el mayor, no vayamos a exigirle demasiado. «Tú eres el mayor», se le repite con frecuencia, pero lo es sólo en comparación con el bebé. A sus dos años de edad Marcos todavía es un crío, en realidad, y precisa mucha ayuda. Y si se fijan bien, los padres no dejarán de advertir que hacían mucho más caso de las necesidades y deseos del primogénito cuando éste todavía era el hijo único. Lo que, por otra parte, no deja de guardar relación con la necesidad que ellos tienen de que el hermano mayor empiece a cuidar un poco de sí mismo, para aliviar el esfuerzo cotidiano.

Es bueno que los progenitores aprendan a mantener el equilibrio entre «tú eres nuestro hijo mayor y estamos orgullosos porque ya sabes desenvolverte solo» y «a pesar de ello, si quieres puedes sentirte como un niño pequeño y nosotros cuidaremos de ti». Lo más negativo es transmitir el mensaje «tienes que ser un niño mayor, sensato y despabilado, o si no, no te querremos. No como tu hermanita, que derrama el biberón y se ensucia en los pañales sin que nos enfademos con ella y dejemos de acostarla con una canción de cuna».

El segundogénito

El hijo segundo crece conviviendo con este hecho consumado: que él no está solo con sus progenitores, que ahí está otro, desde siempre, y que suele intervenir para exigir y estimular. La ventaja peculiar de un hermano mayor es que éstos generalmente lo hacen mejor y más pronto que los padres. Mientras la madre se lanza a una larga explicación sobre cómo se mueve el triciclo, la hermana mayor ya se ha sentado a pedalear para demostrar cómo se hace. Así los hermanos aprenden los unos de los otros, sobre todo, por imitación o emulación. Y el que enseña lo hace sin demasiadas contemplaciones. Por ejemplo, le corrigen la pronunciación al pequeño sin preocuparse demasiado por si se ofende o no, como les ocurriría a los padres. Entre hermanos, la mayor cercanía y la necesidad compartida de orientarse en este mundo (aunque ya las perspectivas sean individualmente distintas), por lo visto hacen posible el hablar claro, el influir de manera directa y, en caso de duda, el mandar sin más circunloquios por parte del mayor.

En muchos casos, esto es de gran ayuda para el segundo de la familia, de ahí que éstos aprendan muchas cosas con más rapidez y a edad más temprana que los primogénitos. Sin embargo, la situación también tiene su lado oscuro. Por mucho que se esfuerce el pequeño, jamás conseguirá adelantar al hermano o la hermana mayor en su evolución. Todo sucede como si hubieran nacido con este problema: «¿Cómo es que a él o a ella siempre le sale todo mejor, y yo siempre quedo atrás?». Y precisamente por eso, sin duda, toda la vida permanecerán atentos a descubrir si los padres quieren al mayor más que a él.

Es decir que a los hermanos nunca les faltan razones para observar celosamente las relaciones de los padres con el hermano o hermana. En el caso de los primogénitos, está el temor a que los progenitores quieran más al pequeño porque es el más desvalido. Y el pequeño ha de temer que los padres quieran más al mayor, porque es el que demuestra más destreza en todo. Esa tensión no se resuelve hasta la edad adulta, cuando cada uno de los hermanos emprende su propia vida. E incluso entonces, muchas veces algo de los tradicionales celos queda remanente.

Los hermanos medianos

Durante mucho tiempo los hijos llamados «sandwich», es decir los que tienen un hermano mayor por encima y otro más pequeño por debajo, han tenido consideración de especialmente problemáticos. Este niño no es el primogénito más estimado, ni el benjamín más protegido. Por eso se dice que es el más postergado. Poco a poco la ciencia psicológica empezó a descubrir algunas ventajas en esa situación, precisamente las que consisten en que los progenitores no ejercen sobre ellos una supervisión excesiva. Lo cual hace posible una mayor libertad y menos cortapisas de cara a las posibilidades de evolución individual. Para el aprendizaje social también es muy ventajosa la situación intermedia. Estos niños cuentan con una doble experiencia. Saben lo que es tener un superior más fuerte que uno mismo, incluso desde el punto de vista de la capacidad para imponerse físicamente, y al mismo tiempo han aprendido a cuidar de quien precisa y agradece la ayuda de un hermano de más edad. El gran desafío para el hermano mediano estriba en acertar a equilibrar la tensión interior de manera que no se transmitan al benjamín los sentimientos de inferioridad que provoca la presencia del primogénito, situación susceptible de inducir abusos de superioridad (física, verbal o intelectual).

Cuando ocurre, no obstante, que una criatura de más edad se comporta con agresividad inusual contra una hermana o un hermano más pequeño, los adultos deberían interrogarse acerca del trasfondo de semejante conducta. Esa agresividad acumulada, ¿a qué se debe? El mero hecho de interpelar al protagonista sin adelantar ninguna valoración («a veces te enfadas mucho con tu hermano pequeño, ¿verdad?») le facilitará mucho las cosas. Si ahora las personas adultas emprenden con él una reflexión sobre el origen de esos impulsos agresivos, y sobre cómo manifestarlos y desahogarlos sin perjudicar a nadie, a lo mejor se habrá progresado más que si hubiesen reñido o castigado al niño por su comportamiento. Él sabrá entonces que nosotros reconocemos la existencia de los sentimientos agresivos, y aprenderá que hay maneras constructivas de tratarlos.

El benjamín

Se les atribuye con frecuencia que son unos consentidos. De hecho, sucede en muchas familias que los pequeños heredan automáticamente los juguetes de sus hermanos mayores, y de esta manera se crían en medio de una plétora de bienes materiales. De ahí que muchas veces esos niños se vuelvan más exigentes. Por otra parte, en la familia numerosa siempre cuentan con la presencia de alguna persona a quien recurrir para satisfacer su necesidad de contacto. Al mismo tiempo, sin embargo, con tantas personas en casa la atención que se dedica a cada uno forzosamente resulta limitada. Para unos padres que han contemplado ya los primeros pasos de tres hijos, el asistir al espectáculo una vez más no deja de ser un acontecimiento, pero ya no es *el gran* acontecimiento.

Con el primogénito, el padre y la madre permanecen muy atentos a todo lo que necesita el bebé. Con el benjamín, en cambio, muchas cosas se dan por sabidas y es real el peligro de que las auténticas necesidades de la criatura se vean algo desatendidas. Lo peor es que el benjamín se convierta, por así decirlo, en la mascota de la familia. Entonces son los demás miembros de ésta quienes buscan en el niño la satisfacción de sus propias necesidades y deseos afectivos, y los del bebé se descuidan por completo. Por eso sucede a veces que un niño a primera vista mimado y consentido padece en realidad un verdadero abandono emocional. Esa situación de apuro pasa desapercibida y si el niño protesta, para colmo lo tildan de ingrato.

El número de hermanos

Es otro de los factores que influyen sobre el desarrollo infantil. Para la evolución individual, lo determinante es si los padres van a disponer de recursos emocionales y materiales suficientes para todos.

Entre hermanos siempre se da la posibilidad de crecer juntos y ayudarse mutuamente, y esa posibilidad aumenta en la familia numerosa.

Por otra parte, y aunque la competencia social de los progenitores sea grande, no es lo mismo repartir unas cantidades dadas de tiempo y de energía entre tres que entre cinco. Los del segundo caso tocan a menos, reciben menos de sus progenitores. Pero cuando la familia logra establecer una buena relación entre los pequeños, haciendo que asuman responsabilidad los unos por los otros y respetando la libertad de cada uno para desarrollarse individualmente, es fácil que las relaciones entre los hermanos compensen la pérdida de la exclusividad en lo que se refiere a los padres.

Las diferencias de edad entre hermanos

A menudo las diferencias de edad determinan el grado de cercanía que pueda llegar a darse entre ellos. Los niños que son casi coetáneos suelen pasar mucho tiempo juntos y están muy unidos, pero también se pelean mucho más. En esa relación se necesita un esfuerzo mayor para afirmar y manifestar la peculiaridad individual. Cuanto más a menudo los juegos comunes confirmen que «tenemos las mismas aficiones», tanto más a menudo les conviene subrayar los aspectos «en esto somos diferentes», y esto es todavía más cierto para los hermanos del mismo sexo, y también para los gemelos. En cambio, niño y niña con poca diferencia de edad se diferencian más fácilmente con la ayuda de los roles de género, y ésa es una ventaja importante, enorme, en comparación con los hermanos de igual sexo.

A mayor diferencia de edad, más tenue se vuelve el vínculo fraternal. Hay menos competencia, pero también menos apoyo mutuo. Las hermanas mayores son percibidas por los pequeños más bien como madres suplentes. Y por cierto, más severas en la educación que la propia madre, según demuestran numerosos estudios.

Otro resultado de los estudios científicos es que las niñas por lo general intervienen más a menudo en el cuidado y la vigilancia de los hermanos pequeños. En cambio los chicos suelen dedicarse más bien a instruirlos en destrezas prácticas, como ir en bicicleta, y les explican el mundo con arreglo a lo que ellos tienen aprendido en materia de ciencias naturales. De esta manera se perpetúan las imágenes tradicionales de lo masculino y lo femenino. La división de roles interviene muy tempranamente, desde los primeros contactos sociales —es decir, los que se producen entre hermanos—, y su eficacia resulta potenciada por la coincidencia de contenidos con la socialización que realizan los progenitores y otros personajes de referencia.

El desafío de ser padres

De manera consciente o inconsciente, por lo general los padres fomentan y premian determinados comportamientos acordes con unos roles concretos, y cuanto más empeño pongan en ello, más se desarrollará la especificidad tradicional de género. No puede ignorarse la influencia de estas condiciones sobre las relaciones entre hermanos. Así vemos muchas familias en las que el primogénito puede hacer, en el fondo, todo lo que se le antoje y sin que se le señale positivamente ninguna limitación. Cuando vienen luego unas hermanas, éstas presentan un comportamiento reservado y retraído, casi puede decirse desde el primer día de vida. Como si supieran desde antes de nacer que ese comportamiento aventurado del hermano mayor no se les va a consentir a ellas.

Para los progenitores, el cómo tratar a los hermanos constituye un importante desafío. Hay que saber maniobrar con habilidad entre las más diversas e insospechadas situaciones de tensión, como las relacionadas aquí (pero que no agotan, en modo alguno, el tema):

- Asegurar un trato justo a todos, teniendo en cuenta al mismo tiempo que las necesidades pueden ser diferentes, y tratar de atenderlas.
- Por mucho que la tradición familiar empuje al conformismo («en nuestra familia, los primogénitos siempre han abrazado la carrera médica»), fomentar el desarrollo de las individualidades.
- Apoyar las actividades creadoras de relación lo mismo que los afanes individuales que tienden a la independencia.
- Asegurar el equilibrio entre las expectativas sociales que apuntan a unos roles de género, y la integración de las componentes masculina y femenina en la personalidad de cada niño o niña.

- Transferir responsabilidades a los pequeños en proporción con sus edades, evitándoles sobreesfuerzos, y reteniendo, en fin de cuentas, la responsabilidad superior.
- Procurar que haya entendimiento mutuo y, al mismo tiempo, permitir que cada uno afirme con claridad su punto de vista.

¿Qué hacer cuando estalla una disputa?

Las peleas entre hermanos tienen su importancia. Se trata de fijar el equilibrio entre la dependencia mutua y la autodeterminación. Muchas veces el motivo de la riña se nos oculta a nosotros los adultos. De hecho, la mayoría de las veces lo que está en disputa no es el último vaso de limonada sino, con más probabilidad, quién manda y quién se somete. Aunque el régimen alcanzado no suele ser permanente: en sucesivas riñas no siempre pierden y ganan los mismos, y algunas veces incluso los más pequeños se imponen.

Cuando los adultos se precipitan a intervenir, privan a los niños de la oportunidad de alcanzar soluciones ellos solos. Ante las riñas, en efecto, menos intervención es más. Aunque resulte difícil en ocasiones, sobre todo cuando los críos gritan, lloran y tal vez llaman a su mamá. La vida es conflicto; a veces no consigue uno lo que quiere, y otras veces hay que luchar para conservarlo. Entre niños, el péndulo oscila entre la riña y la reconciliación con tanta rapidez, que con frecuencia los adultos no podemos seguir ese ritmo. Por otra parte, si resulta que los niños pueden y quieren solventar por sí mismos sus conflictos, quizá los adultos lo percibamos como un alivio y un descanso considerable.

Otro detalle notable es que en ocasiones, los niños pelean «por delegación», como si dijéramos, es decir en representación de sus progenitores. Ellos intuyen que hay «mar de fondo» y entonces se lanzan a la disputa para desahogar la tensión.

Si hemos de considerar las relaciones entre hermanos como una manifestación autónoma y justificada en sí misma, intervendremos sólo cuando veamos un peligro, o cuando nos lo soliciten los mismos niños. Se les ayuda mucho más proponiéndoles un buen ejemplo de cultura de la polémica por medio de nuestra propia conducta. Las reglas han de negociarse con ellos en pie de igualdad. Si yo, como padre o como madre, determino rígidamente cómo deben hacerse las cosas, y quién puede o no puede hacer esto o lo otro, no será de extrañar que luego los niños no inventen mejor solución para sus conflictos que la hegemonía de los más fuertes.

También hay que tener en cuenta que la conducta de los pequeños se ajusta por lo general a la edad que tengan. Los de tres años recurrirán más habitualmente a las soluciones no verbales, como golpear, porque todavía no saben expresarse con la misma soltura que sus hermanos mayores. (Véase también la guía *Estoy que muerdo*, publicada en esta misma serie de Educación Emocional.) Que los progenitores se consideren invitados a una reflexión sobre esas pautas de conducta. ¿Hasta qué punto aborrecen que los niños se peguen? ¿Lo juzgan moralmente intolerable? Desde el punto de vista de la evolución psicológica, la pugna física es la primera etapa del proceso que conduce a la asunción de los conflictos. Eso, los padres pueden respetarlo. Cuando los hermanos tienen ya más edad, a menudo juega un papel en sus peleas la regresión que decíamos en un párrafo anterior, es decir el retorno a conductas más primitivas como lo es, precisamente, la agresión física. Eso tampoco es ninguna tragedia. Cualquiera que sea el método elegido por el niño para «imponerse» en la pelea, ante todo es una expresión de las posibilidades que maneja en ese momento; a partir de ahí puede seguir aprendiendo.

Ocurre con frecuencia que en el calor de la disputa, los niños requieran a gritos la presencia de un adulto. Pero apenas ha intervenido éste, ellos dan a entender que tal presencia estorba y está de más. Los hermanos forman alianza contra los padres tan pronto como éstos tienen la osadía de manifestar alguna crítica. En realidad no quieren que los adultos se entremetan. Si se requiere su intervención, suele ser para que controlen que se está peleando «limpiamente», no para que pongan paz ni digan quién tiene razón. Además los progenitores casi nunca están en situación de emitir una sentencia, ante la imposibilidad de averiguar quién es el «culpable». ¿Quién empezó la pelea? ¿Cómo van a juzgar los adultos una cuestión así? ¿Acaso están al tanto de los antecedentes de la riña? ¿Cuántas provocaciones y cuántas patadas en la espinilla por debajo de la mesa le han precedido? A veces la «víctima» no es precisamente la criatura que más llora o más grita.

¿En qué condiciones son evitables los conflictos?

- Con frecuencia los celos aparecen cuando uno recibe más, puede más o está más consentido que otro. La diferencia de edad y la consiguiente desigualdad de competencias, derechos y obligaciones proporcionan mucho potencial conflictivo. Los padres pueden remediarlo emprendiendo de vez en cuando alguna actividad a solas con uno de los pequeños. En esas condiciones la dedicación es exclusiva para él, y no hay necesidad de rivalizar con hermanos ni hermanas por el cariño y las atenciones de los progenitores.
- También el sentar unas normas claras puede ser útil. Cuando hay discusiones habituales acerca de quién determina hoy lo que vamos a ver en la televisión, a quién le toca limpiar la jaula del periquito y quién tiene derecho a usar el mando a distancia que abre la puerta del párquing, negociaremos con los niños unas reglas que parezcan justas a todos. Los niños tienen fuerte sentido de la justicia. Los lunes me toca a mí, y los martes a ti. Entonces no hay más que discutir, aunque ese día precisamente no tenga uno muchas ganas.
- Que los padres se abstengan de hacer comparaciones, y que se conceda el máximo de posibilidades de desarrollo a cada niño (distintos grupos de amigos, distintas aficiones): con eso se restan muchos motivos a las posibles envidias.
- Lo que demuestran las rivalidades entre hermanos, ante todo, es que los gallitos se disputan el lugar de privilegio en los corazones de los progenitores. Hay que transmitirles que cada uno es apreciado a su manera, con sus peculiaridades individuales y sus puntos fuertes y débiles. Todos, grandes y pequeños, tienen una aportación que realizar y forman parte de la familia.

Para iniciar diálogos de una manera lúdica, para crear una cultura del conflicto y para alcanzar mayor entendimiento entre hermanos, he aquí una serie de juegos y actividades.

Cambio bebé por patinete a motor

Preparación lúdica para la llegada del nuevo hermano

El nacimiento del segundo o del tercer hijo despierta en los mayores el temor a no quedar a la altura de las expectativas de sus progenitores (o si no, ¿para qué quieren otro hijo?) y a recibir menos cariño en adelante.

Pese a todas las explicaciones previas, muchas cosas no las comprenderá el niño realmente hasta que vea al recién nacido y se haya establecido una cierta cotidianeidad de esa presencia. En este proceso van surgiendo numerosas «pruebas de fuego». Por ejemplo, cuando un hijo mayor requiere con urgencia la ayuda materna y ella está dando el pecho al pequeño. ¿Cómo puede ella hacerle comprender que está de acuerdo con sus necesidades, pero que debe esperar un poco? Las madres que se empeñan en dar satisfacción a todos corren el riesgo de no contentar a nadie. Lo que necesita cada niño es un poco del tiempo de la madre en exclusiva, aunque de momento el bebé tenga derecho, obviamente, a una dedicación más asidua.

Quizá sea posible hallar otras personas de referencia en quien los hermanos mayores puedan hallar la dedicación que solicitan. A menudo, el segundo hijo viene al mundo cuando el primogénito tiene dos o tres años de edad. Por ese motivo, los juegos y las ideas que se exponen a continuación están expresamente concebidos para dichas edades. Pero también pueden servir para niños mayores, en cuyo supuesto serán posibles unas conversaciones más extensas que servirán para conocer lo que está ocurriendo en el fuero íntimo de la criatura.

Mamá, ¿de dónde vienen los niños?

Un libro con este título o similar proporcionará orientaciones para explicar a los niños incluso muy pequeños, de manera sensible y comprensiva, cómo se forma una criatura y cómo va creciendo poco a poco en el vientre de la madre.

EDAD:	3 años o más; con limitaciones, a partir de 2 años
PARTICIPANTES:	uno o más niños
MATERIAL:	libro ilustrado (consultar en librería especializada
TIEMPO:	unos 10 minutos
LUGAR:	una habitación tranquila

Para empezar miramos el libro con los niños. A partir de los tres años de edad podemos limitarnos a leer los textos. Con los más pequeños, les explicaremos lo que muestran las ilustraciones, éstas seleccionadas previamente con arreglo a la comprensión del niño y procurando evitar las imágenes demasiado crudas que podrían herir su sensibilidad.

Cuando dispongamos de tiempo, leeremos todo el libro a solas. De esta manera, cada vez que lo saquemos podremos elegir un tema determinado así como la explicación que vamos a dar, siempre tratando de subrayar la relación entre lo que cuenta el libro y la fase del embarazo en que se encuentra la madre.

Quizá los niños querrán visitar una granja o el parque zoológico y ver las crías de los animales, e incluso cómo nacen si se presenta la oportunidad.

Nota

Muchas veces los adultos no nos hacemos cargo del tremendo cambio que supone para el niño la aparición de un hermano, ni los trastornos que esa circunstancia introduce en su vida cotidiana. De ahí que sea aconsejable conceder tiempo y lugar para que el mayor se prepare, lo que le ayudará a adaptarse y ubicarse en la nueva constelación familiar. Los niños de dos años o menos comprenden mucho más de lo que comúnmente se cree. Es cierto que sus facultades de expresión verbal todavía no están desarrolladas, por lo que les faltan palabras para explicarles. Nosotros los adultos hemos de hallar para ellos esas palabras.

Preparando la llegada del bebé muñeco

Si mamá va a tener un bebé, lo justo será que la hermanita o hermanito pueda tener uno también, para ocuparse de él y que sea suyo y de nadie más. Con esto no siempre se logra evitar los celos, pero puede ser un paliativo.

Unas ocho o seis semanas antes de la fecha prevista para el nacimiento nos haremos con cola de empapelar, una brocha gruesa y una caja de cartón lo bastante grande. El fondo de la caja se rellena con abundante papel de periódico. Luego la adornamos por fuera y por dentro pegándole figuras recortadas. Cuando los niños son muy pequeños puede ocurrir que la persona adulta deba ocuparse de todo el trabajo, y la criatura se le escapará con frecuencia para distraerse con otra cosa. Hay que tomarlo con calma, porque a estas edades el margen de atención es muy corto.

Cuando esté acabada la caja la rellenamos con materiales adecuados para representar el colchón, la almohada y la mantita. Con un poco de cordel y un gancho se cuelga la cuna del techo de la habitación, y así la criatura podrá mecer su propio bebé.

Nota

Hay que reiterarles muchas veces a los pequeños las cosas que van a cambiar cuando llegue el bebé. Solicitaremos la presencia de los niños para que vean los regalos, las prendas que va a usar el recién nacido, la cuna, etc. También conviene mostrarles las fotografías que tengamos de cuando ellos eran unos bebés y tal vez usaban las mismas prendas que ahora estamos lavando para el futuro nuevo miembro de la familia.

EDAD:	**2 años o más**
PARTICIPANTES:	**uno o más niños**
MATERIAL:	**pegamento, una caja de cartón, periódicos, brocha, muchos papeles de colores, un muñeco bebé, cordel y un gancho de cortina.**
TIEMPO:	**unos 30 minutos, más un día para secar el pegamento**
LUGAR:	**una habitación tranquila**

Ahora me compro mi bebé

¿Cómo será la llegada del bebé? La compra de un muñeco nos permitirá realizar ensayos.

Madre e hijo o hija irán a la tienda de juguetes para adquirir el muñeco y todos sus accesorios. No hace falta que sea de ninguna marca determinada, aunque tampoco hay porqué renunciar a una determinada calidad en lo que se refiere a duración y seguridad de uso. Una vez llegue a casa, el nuevo muñeco bebé será el centro de la atención y tal vez reciba incluso un regalo. Exactamente lo mismo que haríamos con un bebé de verdad. Todos piden tenerlo en brazos, se expresan felicitaciones, etc.

La madre aprovechará todas las ocasiones para explicarle a la criatura los ritmos y las necesidades del bebé, cómo hay que tomarlo en brazos, cuándo necesita beber, cuándo hay que cambiarle los pañales, etc. Al anochecer permitiremos que la criatura y su muñeco se bañen juntos.

NOTA

Es muy importante mantener un equilibrio en este punto. Por una parte, queremos que la criatura viva la experiencia de tener un bebé propio, representado por el muñeco. Por otra parte, la inducción transmitida por la persona adulta no debe ser más que un ofrecimiento. No hay que forzar nada, no hay que imponer responsabilidades y, sobre todo, no hay que poner inyecciones de moralina del tipo «si es así como tratas a tu bebé, te lo quitaré y lo devolveré a la tienda». ¡No vayamos a olvidar que es sólo un juego! Puede ocurrir que el niño o la niña tarde un par de días en arrancarse a jugar con el supuesto bebé. O tal vez no empezará a jugar hasta que la madre empiece a ocuparse de su recién nacido, es decir hasta que entra en juego la emulación. Los niños buscan el camino que más les cuadra para aprender, que no es necesariamente el que se figuran las personas adultas. Esto añade valor a nuestro esfuerzo, sin embargo, porque el niño recibe el ofrecimiento como una muestra de que valoramos su personalidad, y además disfruta ejerciendo la libertad para aceptarlo o declinarlo.

EDAD:	3 años o más; con limitaciones, a partir de 2 años
PARTICIPANTES:	uno o más niños
MATERIAL:	muñeco, pañales, biberón y chupete, mono para muñeco
TIEMPO:	unos 10 minutos todas las veces
LUGAR:	cualquiera

¡El bebé ya está aquí!

Los primeros días con el recién nacido en casa suelen ser agotadores para las personas adultas y en parte, un verdadero desafío. Al mismo tiempo, y sobre todo si se trata del segundo, hay que permitir que durante esas primeras horas el primogénito satisfaga su curiosidad, y facilitar el primer contacto con el nuevo ser. Mejor aún si esto se produce antes de abandonar la clínica.

EDAD:	3 años o más; con limitaciones, a partir de 2 años
PARTICIPANTES:	uno o más niños
MATERIAL:	ninguno
TIEMPO:	unos 10 minutos
LUGAR:	una habitación tranquila

La madre desnudará al bebé y los hermanos podrán examinarlo con todo detenimiento. Al mismo tiempo la madre permanecerá atenta, explicando cómo se debe tocar un ser tan delicado, y contando cómo los hermanos mayores también eran así cuando nacieron, y en que consisten las diferencias. ¿Cuándo se alimentaron del pecho por primera vez? ¿Estuvo también la abuela en la clínica y se alegró tanto como en esta ocasión? No hay que esperar las preguntas de los niños, sino hablarles en seguida y mientras tengamos la sensación de que escuchan atentamente. Luego vestiremos al bebé con la colaboración del mayor o de los mayores, si ellos quieren, aunque sólo sea para abrochar el último botón del mono. A lo mejor ahora le gustaría tomarlo en brazos. Si se sienta y la persona adulta sigue presente, no podrá ocurrir nada malo.

Este primer encuentro sin duda merece una fotografía, que más adelante servirá de recordatorio, por ejemplo durante las fiestas de aniversario, y confortará al mayor en su rol de «yo vigilo y me encargo de que no te pase nada».

Nota

También es posible que el mayor no desee mucho contacto con el recién nacido, al menos para empezar. Tal vez prefiera limitarse a darle un beso y luego seguir observándolo desde cierta distancia. Esto hay que respetarlo; nos limitaremos a hablarle y dejaremos las aproximaciones descritas en el apartado anterior para más adelante.

¿Es que yo ya soy mayor?

Cuando Gelu quiso acostar a su hija de tres semanas en la cuna, halló el lugar ocupado. Nadie supo cómo había conseguido embutirse en tan reducido habitáculo Marcos, de dos años de edad. Pero lo estaba, y profundamente dormido además... Estoy segura de que muchas madres podrían contar docenas de historias parecidas. Los niños mayores se enorgullecen de serlo... pero en ocasiones preferirían ser los pequeños.

Durante los primeros seis meses de vida del bebé, sobre todo, se les imponen a los hermanos muchas renuncias, y los progenitores suelen recordarles con cierta reiteración que ahora ellos son los mayores. Esto, como todo en la vida, tiene un lado bueno y otro malo. Es verdad que así los hermanos se sienten mayores, fuertes, responsables, pero por otra parte implica una pérdida de privilegios y el temor a no seguir recibiendo la dedicación y el apoyo necesarios. Conviene aprovechar los ratos de tranquilidad para volver sobre el asunto. Por ejemplo, a la hora de la cena. Padres e hijos comentan lo mucho que lleva aprendido el bebé desde su llegada, aunque sólo sea cuestión de semanas. A continuación se observarán los muchos aspectos en que la ayuda sigue siendo necesaria.

Que hablen luego los hermanos, y que digan en qué cosas se consideran competentes y en qué otras no. ¿En qué sentidos puede decirse que ya son mayores, y en qué otros hay que seguir considerándolos como niños? Porque es verdad que siguen siéndolo, y sólo en la comparación con el bebé parecen mayores. Lo cual es fenomenal y merece ser celebrado. Pero habrá otros momentos en los que tienen derecho a reclamar ayuda.

EDAD:	3 años o más; con limitaciones, a partir de 2 años
PARTICIPANTES:	uno o más niños
MATERIAL:	ninguno
TIEMPO:	unos 10 minutos todas las veces
LUGAR:	cualquiera

Los hermanos: golpes...

Juegos y actividades para tratar constructivamente la hostilidad

Quien bien te quiere te hará llorar, eso ya lo sabemos los adultos, pero no obstante preferiríamos en todo momento la convivencia apacible y libre de conflictos. Precisamente en familia, y sobre todo entre hermanos.

Los conflictos no son evitables. Sí puede modificarse, por el contrario, la cultura del conflicto que impera en la familia. Y se modifica desde el momento mismo en que las cuestiones no se reducen a que alguien se salga con la suya y se empieza a negociar. La negociación es de todos, pero los mayores, y sobre todo los padres, deben sentar ejemplo. El trato dentro de la pareja y de ésta con los pequeños será el modelo que éstos emularán para tratar los unos con los otros. Dando por supuesta esa base, se proponen a continuación algunos juegos y actividades con los que trataremos de comprendernos mejor, precisamente y con más motivo cuando alguien exterioriza rasgos que lo diferencian de los demás.

Otra condición que reduce la conflictividad es, como he comentado en la introducción, la ausencia de situaciones de necesidad material o emocional. Que nadie se vea en el caso de tener que renunciar a nada que le resulte existencialmente imprescindible. Esa medida es diferente para cada persona, y esa diferencia es, justamente, lo que se trata de asumir, primero, y negociar después buscando la satisfacción de todas las partes interesadas.

Claro que mamá quiere más a Oscar

Los cuentos clásicos como Pulgarcito, La Cenicienta *y otros muchos expresan de manera más o menos cruenta el conflicto de las supuestas preferencias a favor de unos hermanos y en detrimento de otros. Cuando demos a conocer estos relatos a los niños será el momento de explicarles cómo cada uno contempla el mundo a su manera y que esas miradas muchas veces ven cosas diferentes, sin que ello quiera decir que alguno esté equivocado.*

En primer lugar leemos juntos el cuento y comentamos cómo es la realidad de la propia familia. ¿Mamá y papá tienen preferencias? ¿Cómo vemos eso de los celos dentro de la familia? ¿Hay motivo para tenerlos, desde el punto de vista de mamá y papá? Si todos hablan con sinceridad, tal vez tendremos ahí la oportunidad de despejar algún malentendido. Por lo menos se llegará a entender que no siempre se le quita la razón a uno para dársela a otro, y que pueden existir percepciones diferentes. Los sentimientos que despierte cada situación siempre serán legítimos, aunque algunas veces parezcan contradictorios.

EDAD:	4 años o más; con limitaciones, a partir de 3 años
PARTICIPANTES:	uno o más niños
MATERIAL:	cuentos ilustrados, buscando la adecuación al nivel indicado según la edad
TIEMPO:	unos 15 minutos
LUGAR:	en cualquier lugar

Cuando no se puede dilucidar el origen de la disputa

Muchas riñas y discusiones se ventilan entre los niños sin necesidad de mediación. Pero en ocasiones no lo consiguen, y otras veces, aunque hayan alcanzado una solución, reclaman de todas maneras el arbitraje de una persona adulta. Para estas situaciones se indica el procedimiento siguiente.

Los niños se sientan frente a la persona adulta. Ésta explica las reglas del juego antes de que los pequeños empiecen sus narraciones. Las reglas se reducen a una sola, pero muy importante: sólo el que tiene el objeto —por ejemplo, una cuchara de palo— está autorizado a hablar. Entonces uno de los niños empieza a contar los acontecimientos que rodearon a la disputa, de la manera que él o ella los haya entendido. La persona adulta vigilará que no se le interrumpa. Terminada la relación, la persona adulta repetirá lo narrado de la manera que ella crea haber entendido. Lo fundamental no es la secuencia de los hechos, sino reproducir con fidelidad los sentimientos que se han expuesto. Así la persona adulta dirá, pongamos por caso: «Según veo, estabas jugando y pasándolo muy bien. Estabas tan distraído con tu juego que no escuchaste lo que te quería decir Tomás. Entonces, cuando él te pegó no tuviste más remedio que llorar y te entró un enfado muy grande». A continuación le toca al siguiente contar su versión, que no ha de ser necesariamente idéntica a la primera. Una vez más la persona adulta reflejará lo que ha entendido en el plano emocional, procurando demostrar que ha comprendido el apuro de Tomás (que explica la reacción violenta de éste). Por ejemplo en estos términos: «O sea, que tú querías que Teo dejase de chillar y que oyese lo que tú querías decirle, y como no quiso escucharte, te enfadaste tanto que le diste en la cabeza».

A continuación les preguntará a todos si les hace falta algo para volver a estar contentos y reanudar sus juegos. Generalmente los niños se dan por satisfechos al verse comprendidos por el adulto, que les ha transmitido la idea de que ambos niños han sido al mismo tiempo actores y víctimas.

EDAD:	3 años o más
PARTICIPANTES:	2 o más niños
MATERIAL:	cualquier objeto inmediato, por ejemplo una cuchara de madera
TIEMPO:	10 minutos como mínimo
LUGAR:	cualquier lugar tranquilo

Correo para ti

No pocas veces, a los más pequeños les cuesta mucho expresar de palabra que están ofendidos o enfadados. Les invitaremos a fabricarse un buzón. Los acontecimientos jubilosos o las dificultades se plasmarán en forma de imágenes y podremos comentarlos con los niños aprovechando el primer rato de tranquilidad.

EDAD:	3 años o más
PARTICIPANTES:	uno o más niños
MATERIAL:	una caja de zapatos vacía para cada persona, pegamento, retales de tela, papeles de colores, cinta de envolver regalos, abalorios y toda clase de materiales de bricolaje
TIEMPO:	la manualidad, 30 minutos como mínimo; algunos minutos todas las veces siguientes
LUGAR:	una habitación tranquila

Se pone a disposición de todos los miembros de la familia una caja de cartón y los materiales mencionados. Que cada uno decore por dentro y por fuera su «buzón» como más le guste. A los pequeños les llevará su tiempo y es preferible permitir que prolonguen la tarea varios días, ya que la capacidad de concentración sólo les dura un pequeño rato cada vez. Cuando todos hayan terminado se expondrán los buzones a la admiración de toda la familia reunida.

Éstos se ubicarán en la habitación de manera que sean accesibles para todos, y pueden servir para que los niños guarden sus tesoros y se envíen mutuamente pequeños regalos sorpresa. Y también cuando se hayan enfadado por algo, o se consideren ofendidos o incomprendidos, pueden dibujarlo y echarlo al buzón «a quien corresponda». Y cuando los más pequeños de la familia quieran escribirlo, podrán solicitar la ayuda de un hermano mayor o la de los padres, pero éstos deben escribir al dictado y únicamente lo que se les diga.

Las notas se reunirán y «despacharán», digamos, una vez por semana en una solemne reunión familiar. Las quejas del hermano mayor podrán ser objeto de un breve comentario y echarse al cesto de los papeles. (El agradecimiento de mamá por la «ayuda» recibida durante el fin de semana quizá debería quedar para un comentario más extenso.) Esta conversación es importante para que el ejercicio no se limite a echar las cartas al buzón, sino que sirvan de motivo para un verdadero contacto.

¿En qué nos parecemos? ¿En qué somos diferentes?

A los gemelos, y también a los hermanos que se llevan poca diferencia (sobre todo si son dos chicas o dos chicos), les gusta diferenciarse y que la diferencia sea advertida por los demás.

Los niños se sientan alrededor de la mesa, en la que habremos colocado la cartulina. En ella representarán lo que ya saben hacer, y de tal manera que se identifique con claridad a los que reivindican sus destrezas. Al mismo tiempo deben acordar desde el comienzo un procedimiento de trabajo común. Se puede dividir la cartulina en dos mitades, o asignar un símbolo a cada niño, o cualquier otro recurso que se prefiera.

A continuación los niños buscarán en las revistas imágenes y líneas de texto que describan determinadas competencias (las propias o las del otro). Estas imágenes se pegarán en la parte de la cartulina que corresponda. A veces habrá que añadir algún detalle para concretar, o si no se encuentra ninguna imagen que represente algunas de las destrezas que dominan los pequeños, habrá que dibujarla en forma de figura o de símbolo para pegarla en la cartulina.

Una vez terminado este collage, le pasamos un cordel por las esquinas superiores derecha e izquierda para colgarlo.

EDAD:	3 años o más
PARTICIPANTES:	2 o más niños
MATERIAL:	cartulina grande o cartón forrado, cordel, lápices de colores, pegamento, revistas viejas y material vario de bricolaje
TIEMPO:	15 minutos como mínimo
LUGAR:	cualquier lugar tranquilo

¿Quién eres tú? ¿El suertudo?

Como en todos los grupos, sucede a menudo que hay roles habituales en las familias. Está, por ejemplo, el tragón. El niño mimado. El don Quintín el amargao. Y el optimista. Estos motes son asignaciones habituales pero desde luego no fijas. Si somos conscientes de los roles y los comentamos sin formular juicios de valor, pueden contribuir a evitar riñas, porque nos remitimos a ellos en caso de conflicto («ya está el payaso amenizándonos la hora de la comida, ¿quién ha encargado ningún espectáculo?»).

Momentos de entrañable reunión familiar. La madre empieza diciendo «yo soy la suertuda de la familia porque tengo unos hijos tan fenomenales». Otro día el suertudo puede ser uno de los chicos, porque acaban de regalarle una bicicleta nueva. O papá, por tener una esposa tan estupenda. A veces el mismo papel podrá atribuirse a varios miembros de la familia, aunque quizá por razones diferentes. Cuando todos tengan su asignación mejor o peor recibida, recordemos (sobre todo los padres) que los roles pueden cambiar. El suertudo de la familia no ha de ser siempre el mismo. Otro día será el cenizo, eso forma parte del juego.

Los menores de tres años contribuyen poco a este tipo de juegos verbales, pero de todas maneras les gusta estar presentes y ser tenidos en cuenta para el reparto de roles.

Nota

No hay que descuidar la importancia de estos repartos de roles, que muchas veces se adjudican de forma inconsciente. A menudo tienden a fijarse y motivan que pasen desapercibidas otras cualidades de la persona. De modo que Silvia se convierte en «la que siempre lo echa todo a perder» y cargará incluso con las culpas de los desastres que no sean obra suya. En cambio David ha criado fama de «siempre puedes confiar en él» y puede ocurrir que no se atreva a pedir ayuda cuando la necesite, porque está acostumbrado a ser él quien acude en socorro de los demás. Por eso es bueno que aprendamos a no confundir los roles como tales con la individualidad verdadera de los niños... y también de los adultos.

Ejemplos de roles podrían ser:

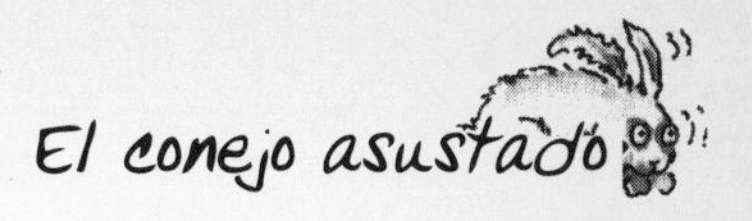

El que mete la pata

EDAD:	3 años o más; con limitaciones, a partir de 2 años
PARTICIPANTES:	uno o más niños
MATERIAL:	ninguno
TIEMPO:	15 minutos como mínimo
LUGAR:	cualquier lugar tranquilo

Da igual quién empezó

Para despertar en los niños la conciencia de que las riñas simplemente estallan sin que pueda decirse quién es el que tiene la culpa y por tanto está obligado a dar las explicaciones, es bueno que aprendan a contemplar sus propios conflictos con un cierto distanciamiento.

EDAD:	3 años o más
PARTICIPANTES:	2 o más niños
MATERIAL:	ninguno
TIEMPO:	15 minutos como mínimo
LUGAR:	cualquier lugar tranquilo

Los hermanos recordarán una situación conflictiva y tras ponerse de acuerdo sobre la manera de representarla, harán de actores para reproducir la escena. Es importante que sólo asuman los papeles si tienen ganas de hacerlo, de lo contrario el acuerdo no sería posible. La escena se representará dos veces. En la primera los chicos discuten y no hay arreglo; en la segunda buscan conjuntamente una solución y demuestran que se puede hablar sin reñir. Los padres, si lo desean, también pueden representar luego la escena para demostrar cómo se habrían comportado ellos en esa situación. Así se ofrece a los niños otra variante más.

En la discusión final, los progenitores dirán qué sensaciones les ha causado la disputa y la solución encontrada. Seguidamente los hermanos intentarán generalizar la solución a otras incidencias semejantes y que se presenten a menudo en la vida cotidiana.

Nota

En la guardería y otros grupos infantiles los niños también pueden representar escenas típicas de la vida familiar que todos conozcan por experiencia propia. Entonces uno de ellos representará su propia conducta y otros compañeros fingirán ser sus hermanos.

El cielo en que se cumplen los deseos

En la familia muchas veces los deseos podrían realizarse con facilidad: bastaría que los demás lo supieran. Por eso vamos a convertir una pared en el cielo donde se cumplen los deseos.

El fondo azul se instalará o colgará en una pared de manera que hasta el más pequeño pueda colgar una estrella, aunque sea en la parte de abajo. Cada miembro de la familia recibe su estrella plegable rotulada con el nombre. En una etiqueta aparte escribirá su mayor deseo para la familia en estos momentos. Pero, ¡ojo!, que ese deseo no puede ser un objeto material, sino algo que tenga que ver con las relaciones familiares. Por ejemplo, a mí que soy el más pequeño me gustaría ser el mejor en algo y recibir los elogios de los demás.

Hecho esto, se dobla varias veces la octavilla y se coloca dentro de la estrella, precintándola con una tira adhesiva. De este modo queda guardado con seguridad el deseo, si bien antes habrán sido leídos todos en voz alta. Luego se clavan las estrellas con alfileres sobre el panel azul. Al cabo de una semana (o de un mes) se desclavan las estrellas y averiguamos cuáles de los deseos se han realizado en el ínterin. Los que no se hayan cumplido retornarán al panel (a veces la realización de los deseos se hace esperar).

EDAD:	3 años o más
PARTICIPANTES:	uno o más niños
MATERIAL:	fondo azul de gran tamaño (panel de tela o porex), estrellas dobles de color amarillo (plegar una cartulina y recortar en forma de estrella dejando una unión, diámetro mínimo 10 cm), octavillas, lápices, alfileres, cinta adhesiva
TIEMPO:	15 minutos como mínimo
LUGAR:	una habitación tranquila

Hoy hacemos limpieza general

A la hora de retirar los juguetes y guardarlos, siempre se les ocurre alguna otra cosa más urgente que hacer, lo cual es frecuente motivo de disputa. En estos casos es mejor disfrazar de juego la operación, y el orden se establecerá sin ningún conflicto.

Los padres colocan algunas sillas en la habitación infantil, dispuestas de manera que puedan alcanzarse desde cualquier rincón.

A continuación encargamos a los niños que recojan las cosas del suelo y las guarden en sus cajas o cajones. Pero con unas condiciones: que no se puede tocar el suelo, sino que deben inclinarse desde las sillas para recoger los objetos, y cada niño sólo puede transportar un objeto cada vez. Si queda algún objeto que no alcanzan, tendrán que correr las sillas de mutuo acuerdo hasta que ello sea posible. Cuando todo esté recogido y guardado recibirán un gran aplauso de sus padres. Los niños más pequeños pueden colocarse en el centro de la estancia y alcanzarles las cosas a los mayores encaramados a las sillas.

EDAD:	3 años o más
PARTICIPANTES:	uno o más niños
MATERIAL:	unas cuantas sillas
TIEMPO:	10 minutos como mínimo
LUGAR:	en la habitación de los niños o dondequiera que haga falta recoger las cosas

Esto es mío y no es tuyo

A menudo la riña se evita poniendo en claro qué es lo que pertenece a cada uno. Cierto que a los niños tienden a parecerles más bonitos y mejores los juguetes y las cosas de los demás. Los celos tienen mucho que ver con la sensación de no estar recibiendo todo lo que uno tendría derecho a tener (en el sentido material y también figuradamente). Es fácil quitar tensiones a esa situación, una vez hayamos definido con claridad a quién pertenecen algunas cosas.

Un juego de cubiertos sencillo para cada miembro de la familia: cuchillo, tenedor, cuchara y cucharilla, que sea barato y, sobre todo, sin ningún tipo de adorno. Cada uno personalizará sus cubiertos como guste. Envolviendo con masilla los mangos de los cubiertos, cada persona ateniéndose al estilo por el que prefiera definirse. La masilla debe revestir por completo el mango, de manera que resulte sólidamente unida. Evitar filigranas demasiado delgadas, que se rompen con facilidad. Para los muy pequeños que justamente están aprendiendo a comer solos esa decoración podría consistir, por ejemplo, en sendas mariquitas de unos 2,5 cm de diámetro sobre el mango de la cucharilla. No sólo «hace bonito» sino que además, al reforzar el mango facilita el agarre y el pequeño manejará los cubiertos con más soltura.

Cuando todos hayan terminado sus decoraciones se pasarán los cubiertos al horno para secar la masilla a la temperatura que indica el fabricante. Los cubiertos que tenemos en casa han resistido ya varios cientos de pasadas por el lavavajillas, sin romperse más que algunos detalles demasiado finos de la ornamentación.

EDAD:	3 años o más, pero pueden utilizar los cubiertos ya decorados por otros a partir de 7 meses
PARTICIPANTES:	uno o más niños
MATERIAL:	un juego de cubiertos para cada miembro de la familia, masilla para modelar y, eventualmente, agujas, cuchillos romos, etc. para dar forma a la masilla
TIEMPO:	20 minutos por lo menos, más 45 minutos para secar la masilla
LUGAR:	mesa de trabajo

Peleas de gallos

Con más o menos frecuencia se llega entre hermanos a la pelea física. Es un comportamiento ancestral, que quiere decir típico de la especie y muy antiguo. Se manifiesta hacia el segundo año de vida y entra en el grupo de los comportamientos «territoriales». Con la edad y el dominio del lenguaje, los conflictos emprenden otros derroteros y no necesariamente pasan por la confrontación física. Y sin embargo, ese procedimiento no verbal de medir fuerzas conserva un cierto aliciente. Los hermanos se toman la medida de sus fuerzas al tiempo que establecen un contacto inmediato, expresión de la agresividad innata que necesita una vía para manifestarse. Mejor que prohibir las peleas sería crear un marco reglado para ellas, por tanto.

Para los más pequeños (a partir de los 2 años aproximadamente)

Alrededor de los dos años, la manifestación de la agresividad depende de que los hermanos mayores y las personas adultas se abstengan de represalias. Es decir que deben limitarse a la defensa o bien tratar de cambiar el signo de la pelea y convertirla en un juego. Una buena solución es ofrecerle al pequeño las manos para que descargue sobre ellas, lo que generalmente no hace daño e incluso le tendrá ocupado intentando precisar sus desmañados golpes. Al cabo de unos momentos empezaremos a hurtarle las manos para introducir el elemento lúdico, o tratar de atrapar las de él. Pero no por eso hay que dejar de tomarse en serio la agresión. Si el pequeño se da cuenta de que estamos haciendo burla de él, se sentirá íntimamente devaluado, lo que además de aumentar la agresividad le transmite la sensación de que nadie presta atención a sus enfados.

NOTA

Cuando el niño furioso agarra un objeto contundente y hace intención de pegar con él, hay que retener la mano que golpea y explicarle que puede golpear sobre las manos si quiere, pero que el objeto debe dejarse de lado. Que él mismo tome la decisión de deponer el «arma». El adulto o el hermano se limitará a sujetarle la mano para que no golpee. De momento puede suceder que se encolerice todavía más, pero es imprescindible que aprenda esa norma. Por tanto, si vamos a entrar en la prueba de fuerza conviene asegurarnos de que se dispone de tiempo suficiente y de que nuestros nervios aguantarán. La actitud debe ser clara y reservada, lo que en este caso significa sujetar la mano, repetir la norma de palabra y demostrarle al niño que vemos y entendemos su cólera.

Para los mayores (a partir de los 4 años)

A partir de esa edad los chicos y chicas siempre están dispuestos a medir sus fuerzas, e inventan nuevas formas de competición. Puede ocurrir, entonces, que alguien reciba un golpe más doloroso de lo que el adversario pretendía, o que los contendientes se «piquen» y continúe en serio lo que comenzó en broma. Cuando esto sucede podemos sospechar la existencia de un conflicto latente que ha aflorado aprovechando la oportunidad.

No siempre se conseguirá evitar las lágrimas, pero al menos haremos que los contrincantes acepten unas reglas de mutuo acuerdo. Al mismo tiempo, aprenden a controlar sus fuerzas. Para negociar el reglamento, nos reuniremos todos alrededor de la mesa, y que cada uno diga qué es lo que más le molesta durante las peleas. Por ejemplo, si uno declara «Pascual siempre te agarra de los cabellos», dará pie a la norma «prohibido tirar de los cabellos durante la lucha». Por último todos firmarán el «reglamento» que va a regir en adelante y que podrá ser invocado por cualquier persona de la familia.

Juegos para medir fuerzas:

- Los dos hermanos encaramados en sendas sillas enfrentadas. Cada uno intenta derribar al otro de su silla. Pierde el primero que toca el suelo con el pie.
- Los dos gallos de pelea se enfrentan y alargando la mano tratan de dar en la mano tendida del oponente; éste procura esquivar el golpe. Gana el que acierta más intentos.
- Lanzado el desafío, trazar dos rectas paralelas en el suelo, distantes un metro la una de la otra. Los adversarios se colocan dentro de ese terreno y sujetándose las manos, cada uno trata de empujar al otro para echarlo detrás de su raya. Gana el que lo consigue.

EDAD:	2 años o más, o a partir de 4 años
PARTICIPANTES:	2 o más niños
MATERIAL:	ninguno, o depende del juego
TIEMPO:	5 minutos como mínimo
LUGAR:	debe ser un lugar despejado, donde no se tropiece con ningún mueble u obstáculo peligroso

... Y risas

Aprender a entenderse y llevarse mejor

El que crece sintiéndose amparado y protegido en el seno de una familia tiene un punto de partida positivo en la vida. Los niños que han tenido la oportunidad de aprender entre los suyos lo que es la atención y el respeto, están mejor preparados de cara al futuro. Tienen confianza en sus propios recursos, saben que los conflictos, por difíciles que sean, siempre admiten una solución aceptable para todos, y sobre todo, han aprendido a solicitar la ayuda ajena en caso de apuro.

En este capítulo se hallarán juegos y actividades que tratan de infundir seguridad a los niños, pero también a los adultos en su trato mutuo. ¿Cómo reconciliarse después de una riña? ¿Qué sensación produce el confesar a otra persona que uno ha hecho algo malo? También se aborda la temática de cómo establecer los derechos y las obligaciones en el seno de la familia, y esos rituales que configuran y facilitan la vida cotidiana. Lo que no se hallará en este capítulo es un ritual para la reconciliación. Esto es algo que se plantea en un plano estrictamente personal. Por tanto, la atención de los niños debe encauzarse para que vean lo que hace falta a fin de poder retornar a la normalidad cotidiana después de un altercado. Que desarrollen una sensibilidad para las necesidades propias y ajenas, y una creatividad social.

He hecho una maldad

Les ocurre incluso a los «buenos chicos», aunque sólo sea de vez en cuando. Hacen algo prohibido, y se les descubre. Iván se lleva un CD de su hermano mayor a título de préstamo. Quiere devolverlo antes de que Max regrese de su partido de fútbol, para que no se entere. Pero cuando va a colocarlo en la estantería, se le caen todos los CD y ahora va a ser imposible evitar que se sepa. ¿Qué hacer?

Siempre a la hora de cenar, uno de la familia anuncia la necesidad de celebrar consejo. Entonces ayudarán todos a quitar la mesa rápidamente y se sentarán a parlamentar. Esta reunión se celebrará cuando alguien de la familia tenga especial motivo de alegría, o de disgusto, y también cuando alguien haya perpetrado algo y quiera decirlo.

Ahora Iván podrá declarar tranquilamente por qué ha convocado la reunión. Las personas mayores se encargarán de impedir que nadie le interrumpa. Cuando Iván haya contado lo que le pasó, o la trastada que hizo, podrá hablar Max y desahogar su enfado, o simplemente decir lo que opina al respecto. Después de esto, ambos deben guardar silencio y los demás de la familia darán su comentario. Que cada uno diga lo que le parezca. ¿Alguien dice comprender mejor a uno de los dos? ¿A favor de quién se situaría? ¿Qué hacer en vista de la situación? Y así sucesivamente.

EDAD:	**3 años o más**
PARTICIPANTES:	**uno o más niños**
MATERIAL:	**ninguno**
TIEMPO:	**unos 10 minutos**
LUGAR:	**cualquier lugar tranquilo**

Después de esto, Iván debe hacer una propuesta de reparación. Max dirá si la acepta y caso contrario, debe presentar una contrapropuesta. Si Iván no está de acuerdo con la contrapropuesta, el resto de la familia decidirá incluso planteando una propuesta diferente.

Por último, toda la familia comentará de qué otra manera habría podido actuar Iván o cualquier otro de ellos en una situación semejante. Con frecuencia el resultado será que hay determinadas necesidades que no pueden satisfacerse tan pronto como se presentan. Iván, por ejemplo, debería haber esperado a que Max estuviese en casa para pedirle el disco.

No hacer nada

Con el tiempo, la convivencia va introduciendo expectativas tácitas, o lo que se llama corrientemente «derechos adquiridos» (por ejemplo, encontrar todas las mañanas el desayuno servido). Conviene dilucidar, de vez en cuando, si esos hábitos que nos son tan queridos siguen teniendo justificación. Podría ocurrir que el escolar prefiriese untar la tostada él mismo, o que papá se haya cansado de ser el único responsable de poner el desayuno.

EDAD:	3 años o más; con limitaciones, a partir de 2 años
PARTICIPANTES:	uno o más niños
MATERIAL:	ninguno
TIEMPO:	unos 20 minutos
LUGAR:	en toda la casa

Aprovechando una mañana en que nadie necesite salir temprano, los padres abandonarán todas las tareas que realizan habitualmente. A ver qué hacen los niños cuando se levanten y vean que no hay desayuno. O que no están recogidos ni lavados los platos de la noche anterior. Es una manera infalible de iniciar una discusión general sobre quién se ha hecho responsable de qué en el seno de la familia, sin que se le reconozca ni se haya comentado jamás. Ahora las personas afectadas tendrán ocasión de manifestar si desean cambiar algo. A continuación harán la limpieza y prepararán el desayuno todos juntos. Naturalmente la hora de la cena también sirve; depende de cuál sea el momento central de reunión de toda la familia.

Después de este experimento podríamos adherirnos a la sugerencia siguiente.

Hoy te toca a ti

Cuando conviven varias personas, es de justicia que se repartan las tareas de la casa. Se ofrece entonces la posibilidad de repartir entre todos aquellos cometidos que todos sepan desempeñar bien. Por supuesto que los más pequeños necesitarán un poco de ayuda al principio.

Para empezar, una reflexión común sobre la manera en que se distribuirán las tareas domésticas en adelante. Nos referimos en particular a las que sean de importancia para toda la familia. A todos interesa, por ejemplo, que la mesa esté puesta a las horas de las comidas, y despejada el resto del tiempo. Que ya son dos tareas. Descargar el lavavajillas es otro buen ejercicio. A lo mejor hay que pasar además la escoba todos los días, o cambiar las toallas del cuarto de baño todas las semanas. No será difícil encontrar actividades suficientes para que se ocupen todos los miembros de la familia.

Ahora recortamos en cartulina de color dos círculos (de diámetros 25 y 15 cm). Se superponen concéntricos y se unen pasando una palomilla por el centro, de manera que el círculo más pequeño pueda girar. A continuación los dividimos ambos en igual número de sectores trazando líneas con un rotulador grueso, tantos como tareas tengamos para repartir. (Si los miembros de la familia son cuatro, por ejemplo, dibujaríamos ocho sectores y así le corresponden dos tareas a cada miembro de la familia, que realizará durante toda una semana.)

En los sectores del círculo grande se escriben o dibujan las tareas, y en los sectores correspondientes del círculo pequeño se escriben los nombres de las personas, repetidos si hace falta hasta rellenar todos los sectores. Todas las semanas, se hará girar el círculo pequeño corriendo un sector, y así todos sabrán en qué consiste su turno.

EDAD:	**3 años o más**
PARTICIPANTES:	**uno o más niños**
MATERIAL:	**cartulinas de colores, tijeras, una palomilla de encuadernar, lápices**
TIEMPO:	**unos 20 minutos**
LUGAR:	**en cualquier lugar**

Una jornada como un helado de frambuesa

Los rituales sirven para que los niños encuentren puntos fijos de referencia durante toda la jornada, y así ellos se orientan. Éste es un ritual vespertino que tiende a pacificar las tensiones del día y permite participar en las experiencias de los demás. Lo que dará pie a alegrarse juntos, o tal vez suscitará una discusión. En ambos casos se promueve un sentimiento de unidad familiar que será beneficioso para todos.

Después de cenar, la familia reunida se pone cómoda, tal vez alrededor de unas tazas de chocolate. Uno tras otro los miembros de la familia describen cómo les ha ido el día. ¿Qué incidencias han tenido? ¿Qué triunfos y qué enfados han vivido? ¿Queda entre ellos alguna cuestión que comentar?

De esta manera se extinguen los ecos de la jornada y se crea un ambiente de paz interior, sobre todo para los pequeños, que así viven directamente la sensación de pertenecer a una comunidad unida. Los adultos procurarán que nadie se quede sin hablar y que la verdad de cada uno sea admitida y aceptada tal como la haya contado. De paso los niños podrán observar que el hermano o la hermana lo han vivido de manera diferente que ellos, incluso aunque hayan permanecido todo el día juntos.

EDAD:	**3 años o más; con limitaciones, a partir de 2 años**
PARTICIPANTES:	**uno o más niños**
MATERIAL:	**ninguno**
TIEMPO:	**unos 20 minutos**
LUGAR:	**una habitación tranquila**

NOTA

Ente los dos y los tres años de edad es cuando los niños empiezan a «escribir sus memorias», es decir que han adquirido el hábito de retener en la memoria lo que consideran suficientemente importante como para desear recordarlo luego. De ahí que tenga sentido el que la persona de referencia, la que acompaña al niño durante la mayor parte del día, cuente también las experiencias que han tenido juntos. Lo hará desde su punto de vista pero procurando el asentimiento del pequeño.

Quiero... quiero...

Una vez al año la familia debería celebrar su «día de los deseos». Cada uno desea para sí algo en que puedan tomar parte todos, ya que no se trata de objetos materiales sino de actividades susceptibles de ser compartidas. Un ritual así se convierte a veces en una bella tradición familiar, y entonces hasta los hijos casi adultos desearán participar en esa celebración que los reúne a todos.

Todas las personas de la familia pueden manifestar el deseo de algo que emprender entre todos. Algo muy especial que siempre tuvieron ganas de hacer, por ejemplo. Estos deseos se escriben y se exponen, o se guardan en un lugar determinado. A partir de ese momento, la familia dispone de un año para su realización.

El día de su cumplimiento tal vez quedará determinado de antemano, pero todavía es más bonito cuando constituye una sorpresa porque todos los demás miembros de la familia han realizado los preparativos en secreto. Entonces Alex despierta una mañana y descubre que las bicicletas ya están preparadas y los bocadillos empaquetados para la excursión al rompeolas y el picnic a la orilla del mar, viendo pasar los grandes barcos.

EDAD:	3 años o más
PARTICIPANTES:	uno o más niños
MATERIAL:	octavillas y lápices a quien los pida
TIEMPO:	preparación, unos 10 minutos; realización, todo el día
LUGAR:	en cualquier lugar

Así ocurrió todo...

Un relato que casi ningún niño se cansa de escuchar una y otra vez es el de su nacimiento y de los primeros días de su llegada a casa. Estos relatos de los padres conllevan muchas emociones y el niño comprende entonces con claridad que ha sido deseado y querido, y que sigue siéndolo.

Los progenitores graban para cada niño una casete de audio en la que describen con detalle cómo creció él en la barriga de mamá, si ocurrió alguna cosa especial o, digamos, que mamá no quería comer nada más que puré de patatas y ensaladas de pepino.

Se describirá el nacimiento y, sobre todo, el momento en que vieron al pequeño por primera vez. ¿Qué sintieron? ¿Qué fue lo primero que se les ocurrió? ¿Cuándo regresó mamá a casa con el niño? ¿Qué pasó luego? ¿Recibieron visitas deseosas de ver al recién nacido? ¿Qué regalos recibió éste y qué pasó durante los primeros días de su vida? ¿Se limitó mamá a guardar cama con el niño hasta recuperarse? ¿O se levantó en seguida y llamó a la abuela para mostrarle la criatura? Que los padres procuren recordar con exactitud los pequeños detalles que precisamente marcan las diferencias entre los hermanos.

No hay que omitir las dificultades ni los apuros de la época, que los habrá habido y forman parte de la vida lo mismo que los ratos alegres y felices.

EDAD:	3 años o más; con limitaciones, a partir de 2 años
PARTICIPANTES:	uno o más niños
MATERIAL:	para cada niño, casete de audio y dictáfono o grabadora
TIEMPO:	unos 20 minutos
LUGAR:	una habitación tranquila

NOTA

Mientras están en el jardín de infancia los pequeños pueden pensar alguna pregunta para que la contesten luego los padres. Al día siguiente se comentan entre todos las respuestas. La educadora los incitará a insistir en las diferencias entre hermanos.

Éste es papá sentado delante de la televisión

Los niños observan con mucha atención a los demás miembros de la familia. En este juego se lo demuestran mutuamente y el coloquio final servirá para fomentar la aceptación de las diferencias.

Toda la familia reunida en un rato de tranquilidad. Uno de los niños inicia una pantomima reproduciendo los gestos característicos de otra persona de la familia. Los demás intentarán adivinar quién es el representado. El que acierte determinará quién ha de ser el siguiente actor. Con seguridad los caricaturizados serán los primeros en reconocerse a sí mismos, aunque alguna que otra vez tendrán motivo para asombrarse de las cosas que hacen sin darse cuenta.

Por último, en la conversación cada uno dirá lo que ha sentido al verse representado, y también si le resulta fácil o difícil el aceptar las idiosincrasias de los demás. Las personas mayores, sobre todo, deben tener en cuenta que se trata de fomentar la aceptación, y no de cambiar a nadie. Porque sólo uno mismo puede cambiarse, y lo hará sólo cuando lo considere necesario y justificado. Aunque, naturalmente, alguna de estas conversaciones tal vez motivará a uno de los pequeños (o de los adultos), y querrá modificar tal o cual detalle de su conducta. Entonces solicitará a los demás que le llamen la atención cuando vean que él o ella recae en su antiguo hábito.

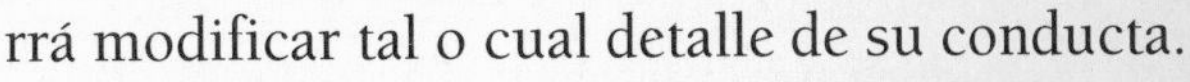

EDAD:	3 años o más
PARTICIPANTES:	uno o más niños
MATERIAL:	ninguno
TIEMPO:	unos 10 minutos
LUGAR:	una habitación tranquila

Ritual del cumpleaños

En muchas familias esta celebración se ajusta a un ritual que viene a ser el mismo para todos. De esta manera se corre peligro de olvidar, precisamente, los aspectos personales y directos de la mutua relación. Para facilitar la manifestación de éstos se recomienda el ritual siguiente. Formalmente también es el mismo para todos, pero los contenidos se adaptan a la personalidad del homenajeado.

EDAD:	3 años o más
PARTICIPANTES:	uno o más niños
MATERIAL:	bengalas grandes y pequeñas
TIEMPO:	unos 10 minutos
LUGAR:	al aire libre

Para un mejor resultado, esperamos a que anochezca y entonces la familia forma un corro al aire libre. El que cumple años lleva una bengala grande y los demás, una pequeña cada uno. Para empezar se enciende la bengala grande y uno de los presentes se destaca del corro para ir a colocarse frente al homenajeado y decirle lo que desea para él con vistas al año siguiente. Como pueden ser unos buenos amigos, unos buenos ratos con la familia, resultados brillantes en la escuela, etc. Mientras expresa su deseo, el que habla enciende su bengala pequeña en la bengala grande y retorna a su puesto en el círculo, al tiempo que se adelanta otro.

Acerca de la autora

HEIKE BAUM

Nacida en 1963, la autora es diplomada en pedagogía del juego y dinámica de grupos, así como supervisora colegiada. Como profesional autónoma de la enseñanza, desde hace más de diez años dirige seminarios sobre todos los aspectos de la práctica pedagógica y terapéutica, con especial atención a los temas de la emotividad, como son la pena, la cólera y el miedo. En conclusión de su larga experiencia con niños y adolescentes, atribuye gran importancia a los temas intrapsíquicos y emocionales de dichas edades, que suelen pasar desapercibidos por lo general.

Tiene publicadas numerosas obras de pedagogía general y lúdica, con frecuencia dedicadas a temas originales e innovadores. Es inventora de juegos de sobremesa.

Quedo reconocida a mi editora Heike Mayer por su profesionalidad irreprochable y las constructivas y fructíferas críticas con que ha contribuido en gran medida a la calidad de este libro.

EDUCACIÓN | Niños de 3 a 7 | EMOCIONAL

Títulos publicados:

1. **¿Está la abuelita en el cielo? Cómo tratar la muerte y la tristeza** - *Heike Baum*
2. **¡Con ése no quiero jugar! Cómo tratar el rechazo y la discriminación** - *Heike Baum*
3. **¡No he dicho ninguna mentira! Cómo tratar la mentira y la verdad** - *Heike Baum*
4. **¡Estoy furioso! Cómo tratar la cólera y la agresividad** - *Heike Baum*
5. **¡Mamá, siempre me está molestando! Cómo tratar los celos y las peleas entre hermanos** - *Heike Baum*